COLLECTION DE MONSIEUR G.

BRONZES ITALIENS

DES XVᵉ ET XVIᵉ SIÈCLES

CATALOGUE

COLLECTION

BRONZES ITALIENS

DES XV, XVI SIÈCLES

ET AUTRES

Appartenant à Monsieur G.

HOTEL DROUOT, Salle N° 7

LE VENDREDI 1 MARS 1912

M. HENRI BAUDOIN   MM. MANNHEIM

EXPOSITIONS

CATALOGUE

DE LA

COLLECTION

DE

BRONZES ITALIENS

DES XVᵉ, XVIᵉ SIÈCLES

ET AUTRES

Appartenant à Monsieur G.

ET DONT LA VENTE AURA LIEU A PARIS

HOTEL DROUOT, Salle Nº 7

LE VENDREDI 1ᵉʳ MARS 1912

à trois heures

COMMISSAIRE-PRISEUR

Mᵉ HENRI BAUDOIN

Successeur de M. PAUL CHEVALLIER

10, rue de la Grange-Batelière

EXPERTS

MM. MANNHEIM

7, rue Saint-Georges

PARIS

EXPOSITIONS :

PARTICULIÈRE : *Le Jeudi 29 Février 1912, de 1 h. 1/2 à 6 heures.*

PUBLIQUE: *Le Vendredi 1ᵉʳ Mars 1912 (avant la vente), de 1 h. 1/2 à 3 h.*

CONDITIONS DE LA VENTE

Elle sera faite au comptant.

Les adjudicataires paieront *dix pour cent* en sus des en-
chères.

Paris. — Imp. de l'Art, Cɪ. Bᴇʀɢᴇʀ, 41, rue de la Victoire.

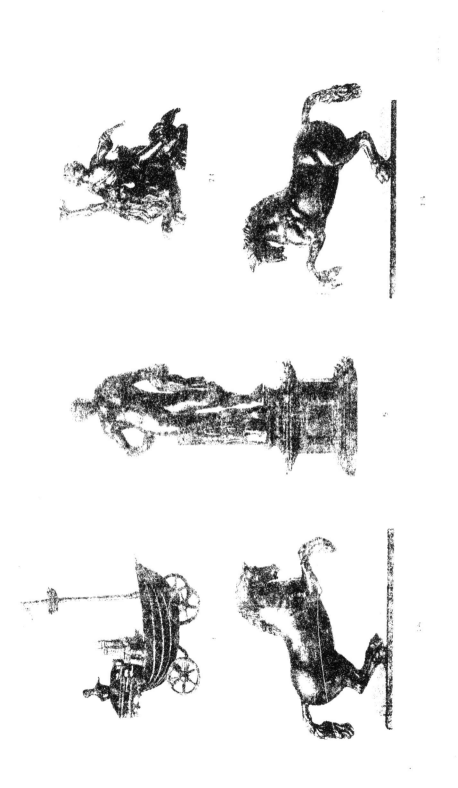

21

16

5

1

16

DÉSIGNATION

BRONZES

700
Leman

1 — NAVETTE à encens en bronze patiné. xvᵉ siècle.

Elle simule uné nef, sur quatre roues, gréée d'un mât placé sur un couvercle mobile. Cette nef est ornée d'une petite construction à deux pinacles dressée devant une proue surélevée présentant un personnage assis.

Haut., 180 millim.; larg., 145 millim.

2. 000

Mannheim

2 — STATUETTE en bronze à patine noire. Italie, xvᵉ siècle.

Vénus debout, le corps portant sur la jambe gauche, la droite légèrement repliée, s'avance, la main droite tendue en avant et tenant la pomme. Elle est coiffée à l'antique et sa tête est tournée vers son épaule droite. Socle cylindrique en marbre rouge.

Haut. de la statuette : 205 millim.

f. 100

Piek

3 — STATUETTE d'enfant sur un cheval en bronze à patine brune. Italie, xvᵉ siècle.

Sur un cheval cabré modelé d'après l'antique, est monté un enfant, court vêtu, faisant du bras droit le geste de corriger l'animal qu'il semble retenir de la main gauche. Socle rectangulaire en bois noir mouluré. *queue du cheval refaite*

Haut. du bronze : 18 cent.; larg., 21 cent.

f. 200

le même

4 — FIGURINE en bronze patiné, fondue à cire perdue. Italie, xvᵉ siècle.

Un chasseur à demi-nu, assis sur un tertre, appuie sa tête dans la main gauche; il est accoudé à un tronc d'arbre et semble dormir. Un chien placé sous sa jambe gauche parait surveiller un sanglier mort, étendu auprès de lui, sous le pied droit du chasseur. Base en marbre noir.

Haut. du bronze : 10 cent.

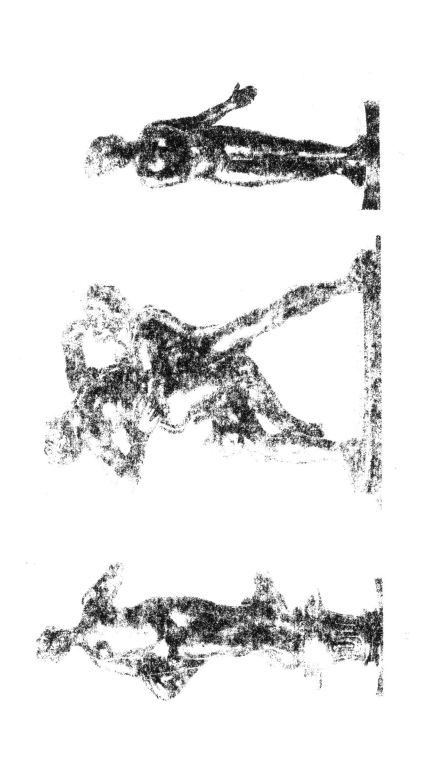

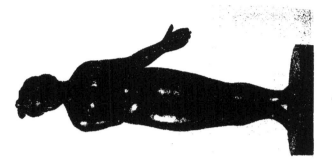

2

15

14

5 — Statuette sur socle adhérent mouluré ; bronze
à cire perdue. Padoue, xvᵉ siècle.

2.050

le même

Narcisse nu, debout auprès du tronc d'un pal-
mier, le corps reposant sur la jambe droite, la
jambe gauche repliée en arrière, retient une
draperie tombant de son épaule et enroulée
autour de son bras gauche ; il regarde à terre et
porte le poing droit sur la hanche.

Haut. totale : 30 cent.

6 — Statuette équestre sur base, en bronze à patine brune. Padoue, fin du xvᵉ siècle.

5.400

le même.

Marc-Aurèle, d'après l'antique, est représenté
sur un cheval passant, la jambe droite levée.
L'empereur porte la barbe et les cheveux bou-
clés et tient les bras étendus. Base de forme
architecturale et moulurée.

Haut., 37 cent.; larg., 21 cent.

3.100

Ettora

7 — CHEVAL en bronze à patine brune. Padoue, fin du XVe siècle.

Il est représenté, d'après l'antique, au galop, la tête tournée vers la droite, la bouche ouverte ; la crinière est longue et la queue nouée à son extrémité. Base en bois noir.

Haut. du bronze : 19 cent. ; larg., 24 cent.

2.800

Fick

8 — STATUETTE en bronze à patine brune. Italie, fin du XVe siècle.

Narcisse nu debout : le corps porte sur la jambe droite accolée à un tronc d'arbre, la jambe gauche est repliée et légèrement levée. Il dirige ses regards vers le sol et tient la main gauche ouverte, tandis que le bras droit est pendant le long du corps.

Haut., 23 cent.

COLLECTION DE MONSIEUR

3

7

9 — LAMPE en bronze. Padoue, commencement du
XVIᵉ siècle.

180

Leman

De forme antique, elle se compose d'un mas-
caron grotesque terminé par des feuillages et
par une anse surélevée en forme de volute.

Haut., 9 cent.; larg., 10 cent.

10 — TROIS PETITS GROUPES d'enfants en bronze patiné. Padoue, commencement du XVIᵉ siècle.

1.005

Piek

Ces enfants nus, debout, sont représentés
dansant. Le groupe principal se dresse dans un
petit bassin au centre duquel est placé un enfant, que quatre autres entourent, dansant une
ronde autour de lui. Les deux autres groupes
sont composés chacun de trois enfants sautant.
Base rectangulaire en marbre vert de mer.

Haut. du groupe principal : 5 cent.
Larg. du groupe principal : 6 cent.

1,100

Saint

11 — FIGURINE en bronze patiné. Italie, commencement du XVIᵉ siècle.

L'Amour, debout, sur un pied, la jambe gauche rejetée en arrière, les bras levés, semble prendre son vol. Les cheveux sont retenus par un ruban. Il repose sur une sphère en bronze doré, avec base en marbre blanc et marbre de couleur du XVIIIᵉ siècle.

Haut. du bronze : 12 cent.

9,000

12 — STATUETTE en bronze patiné. Italie, commencement du XVIᵉ siècle.

Elle représente une Muse debout, vêtue d'une longue tunique dont elle relève les plis du bras gauche, tandis que de la main droite elle en soulève un pan. Un ruban est serré sur les hanches ; l'épaule droite et les pieds sont nus. Les cheveux tressés sont noués derrière la tête et elle tient une couronne dans la main gauche.

Haut., 57 cent.

13 — Deux statuettes en bronze patiné. Venise, XVIᵉ siècle.

Elles représentent Bacchus et Cérès nus, debout, le dieu remplissant une coupe, la déesse tenant une gerbe de blé. Bases en marbre.

Haut. des bronzes : 31 cent.

14 — Statuette en bronze. Venise, XVIᵉ siècle.

Vénus nue debout, le corps reposant sur la jambe gauche ; le pied droit est posé sur une sphère, la jambe étant repliée. Elle lève le bras gauche, et retient sur le bras droit une draperie qui tombe jusqu'à terre. La statuette est placée sur un chapiteau à oves. Base cylindrique en marbre rouge.

Haut. du bronze : 24 cent.

7.200

Piet

15 — GROUPE en bronze à patine rougeâtre. Italie, XVIᵉ siècle.

Hercule et Antée. Le demi-dieu nu, la tête couverte de la peau du lion de Némée, se tient debout, les jambes écartées ; il étouffe sur sa poitrine son adversaire qui tente un effort désespéré pour se dégager de cette étreinte. Base en marbre rouge.

Haut., 24 cent.

2.600

Saint

16 — DEUX CHEVAUX en bronze à patine rougeâtre, Italie. XVIᵉ siècle.

Ils sont représentés cabrés et portant la crinière longue. Bases en marbre vert de mer.

Haut. du bronze: 150 millim.; larg., 19 cent.
Haut. du bronze: 155 millim.; larg., 18 cent.

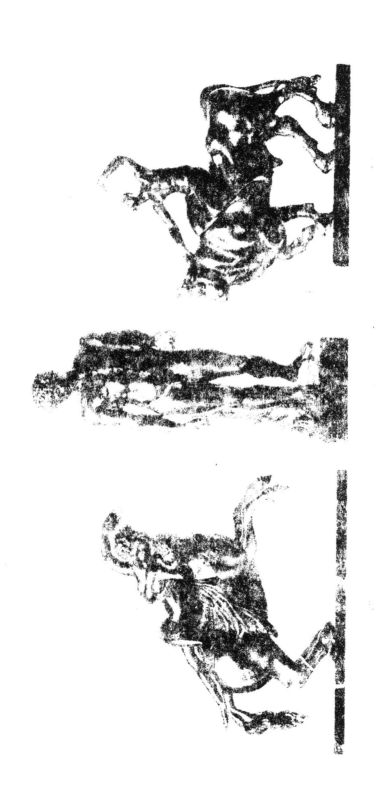

18

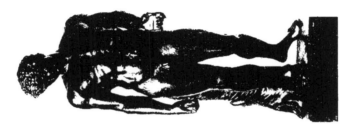

8

20

17 — FIGURINE en bronze. Italie, xvi⁰ siècle.

Jupiter, nu, barbu, debout, s'avance, les poings
serrés dans l'attitude de la colère. Base en
agate.

Haut. du bronze : 77 millim.

18 — STATUETTE en bronze. Italie, xvi⁰ siècle.

L'Enlèvement d'Europe. La nymphe nue, le
bras gauche levé, est assise sur le taureau
au cou duquel elle se retient de la main droite.
L'animal est représenté debout, passant, la
patte gauche levée. Base en marbre rouge.

Haut. du bronze: 185 millim.; larg. 145 millim.

19 — Statuette équestre en bronze patiné. France, fin du XVIᵉ siècle.

1, 850

Henri IV : le roi est représenté sur un cheval cabré ; il est revêtu d'une cuirasse avec écharpe en sautoir. Il tient son sceptre de la main gauche et appuyé sur l'épaule ; de la main droite, il calme l'ardeur de sa monture. Base en bois. *restaurée*

Haut., 13 cent.; larg., 13 cent.

20 — Groupe en bronze à patine rougeâtre, du temps de Louis XIV.

4 000

L'Enlèvement de Déjanire. Le centaure dans l'attitude du cheval cabré retient des deux bras la nymphe nue, étendue sur la croupe de son ravisseur. Base en marbre vert de mer.

Haut., 18 cent.; larg., 17 cent.

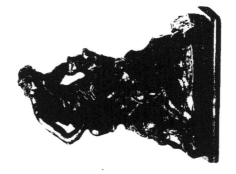

11

10

19

4

4 8 9

Salomon

21 — Statuette en bronze patiné. Fin du xviiie siècle.

Elle représente un amour à demi-nu assis sur un lion couché et tenant un arc d'une main, et une torche enflammée de l'autre. Base en marbre noir veiné.

Haut. du bronze : 13 cent.; larg., 12 cent.

/ 8 8

22 — Œillet sur tige, avec bouton et deux feuilles, en fer ciselé, et portant des traces de peinture. xvie siècle.

Haut., 14 cent.

Produit 63, 8 2 5

RED.:

24

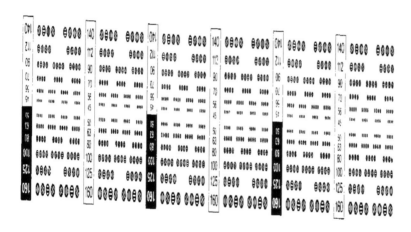

0 1 2 3 4 5 6 7 8 9 10

Imprimé en France
FROC031946250919
22251FR00013B/317/P